작은 도릿

글 찰스 디킨스 | 그림 알레산드로 발드리히 | 옮김 윤영

스푼북

마샬시에 오신 것을
환영합니다

오래전 영국에는 마샬시라는 이름의 감옥이
있었어. 템스강과 가까운 그 감옥은 무척 끔찍
하고 어두우며 우중충한 곳이었지.

다른 사람에게 돈을 빌렸다가 갚지 못한 사람은 마샬시로 보내졌어. 그리고 빚을 다 갚기 전에는 거기서 나오지 못했지. 하지만 마샬시에 갇혀 버리면 돈을 벌 수가 없잖아. 돈을 갚지 못하니 감옥에 계속 머물 수밖에 없는 상황이

이어지는 거야.

　어떤 사람들은 몇 년 동안이나 감옥에 갇혀
있었어. 그러다 보니 마샬시의 열악한 환경 속
에서 아이들이 태어나기도 했고 온 가족이 감
옥에서 생활하기도 했지.

그중에는 도릿 가족도 있었어. 윌리엄 도릿과 그의 아내, 그리고 아들 하나와 딸 둘이 있었지. 도릿 가족은 늘 찢어지게 가난했어. 도릿 씨는 입에 풀칠이라도 하기 위해 돈을 빌렸고, 그 돈을 갚지 못했어. 결국 그는 꽤 많은 돈을 빚지게 되었고, 다 허물어져 가는 조그만 집에 찾아온 기운 센 경찰관 두 명에게 체포당하게 되었어. 도릿 부인은 눈물을 흘리며 아이들을 꼭 껴안았고, 가족들은 마샬시 감옥에 들어간 아빠를 쫓아갔지.

우리 이야기는 이 운명적인 날로부터 20년도 더 흐른 뒤에 시작돼. 그 사이 도릿 씨의 아내는 세상을 떠났고, 자녀들은 성인이 되었지. 도릿 씨는 줄곧 감옥에서 생활했어. 그에겐 작은 방과 두세 개의 조그만 가구가 전부였지만 친구는 무척 많았단다. 다른 죄수들은 도릿 씨를 '마샬시의 아버지'라고 불렀어. 도릿 씨는 그 별명을 무척 자랑스러워했다지.

도릿 씨는 그곳에 찾아온 방문객을 안내해 주고, 새로운 죄수들을 반겨 주었어. 감옥에

갇혀 있는 노인이라기보다는 커다란 저택의 주

인처럼 행동했다고나 할까.

도릿 씨는 세 자녀 중에서도 에이미라는 딸
과 제일 친했어. 사람들은 에이미를 작은 도릿
이라고 불렀단다. 가족 중에 제일 어린 데다
덩치도 매우 작았거든. 에이미는

마샬시 감옥 벽에 맞닿은 작
은 방에 혼자 살았어. 그러
다 보니 아버지와도 가깝
게 지낼 수 있었던 거야.

클레넘 부인의
무시무시한 집

에이미 도릿은 클레넘 부인 대신 바느질과 다른 자잘한 일을 해 주며 적은 돈을 벌었어. 클레넘 부인은 조그만 은테 안경을 쓴 무표정한 사람이었지. 안경 너머로 보이는 부인의 차가운 회색 눈은 검푸른 머리카락 색과도 잘 어울렸지.

클레넘 부인은 방이 엄청나게 많은 큰 집에 살고 있는데도, 몇 년 동안 침실을 나서 본 적이 없다고 했어.

"무려 12년 동안이야! 난 이 방을 나갈 수가

없었어. 몸이 너무 약해서 말이야."

클레넘 부인은 자기가 한 말을 증명이라도

하듯 곧바로 캑캑거리며 기침을 했어.

도릿 씨가 감옥에 갇혀 있는 상황을 즐기는 것처럼, 클레넘 부인은 자기가 아픈 걸 즐기는 듯 보였지.

어느 날 클레넘 부인의 아들, 아서가 집에 왔어. 그는 아버지의 사업을 도와주기 위해 오랫동안 중국에서 살았대. 그런데 그의 아버지, 즉 클레넘 부인의 남편이 세상을 떠났고, 아서도 영국으로 돌아오게 된 거야.

클레넘 부인은 남편과 사이가 좋지 않았어. 아들과도 사이가 좋지 않았지. 사실 클레넘 부인은 그 누구와도 사이가 좋지 않았어.

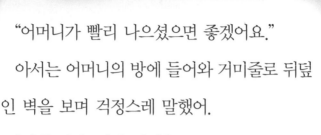

"어머니가 빨리 나으셨으면 좋겠어요."

아서는 어머니의 방에 들어와 거미줄로 뒤덮인 벽을 보며 걱정스레 말했어.

"절대 나을 리가 없어."

부인이 쌀쌀맞게 대꾸했지.

클레넘 부인은 아들을 안아 주지도, 뺨에 입을 맞추지도 않았어. 몇 년 만에 보는 건데도 말이야. 간신히 미소만 지어 주었지.

아서는 주머니에 손을 넣어 뒤적거리더니 조그만 나무 상자를 꺼내 어머니에게 내밀었어.

그는 어머니의 삐쩍 마른 손가락을 건드리지 않으려고 조심스럽게 행동하는 것 같았어. 나무 상자 안에는 아버지의 회중시계가 들어 있었어. 아버지가 돌아가시면서 이 시계를 어머니에게 전해 주라고 아서에게 부탁했거든.

클레넘 부인은 나무 상자를 열어 보고는 떨리는 한숨을 내쉬었어.

시계 위에는 '잊지 마시오.'라는 글자가 새겨진 동그란 실크 천이 올라가 있었지.

클레넘 부인은 그 실크 조각을 들어서 거기 적힌 메시지를 읽었어.

"그게 무슨 뜻인가요, 어머니? 뭘 잊지 말라
는 건가요?"

아서의 말에 부인은 손사래를 치며 사납게
대꾸했어.

"아무것도 아니다. 너랑은 아무 상관도 없
는 거야."

아서는 어머니의 방을 둘러보았어. 어둡고 칙칙하고 곰팡이 냄새도 살짝 나는 것 같았지. 방구석에는 탁자가 하나 놓여 있었고 거기에…… 젊은 여자가 있었어. 왜 지금까지 저 사람을 못 본 걸까?

여자는 의자에 앉아서 바느질을 하고 있었어.

"저 사람은 누구죠?"

아서가 물었어.

"에이미 도릿이야. 바느질이랑 청소 등 잡다
한 일을 시키려고 쓰는 애지. 너는 신경 쓸 것
없다."

부인이 대답했어.

아서는 상당히 놀랐어. 어머니에게는 이미 하인이 두 명 있는데, 왜 또 새로운 사람을 들인 걸까? 어머니는 마음에서 우러나오는 친절로 누군가에게 일자리를 주는 사람이 아니었어. 어머니의 마음속엔 친절함이란 게 없었거든.

아서 클레넘은 그날 밤 어머니 집에서 묵었어. 집 꼭대기 층의 낡은 침실에서 잠을 청했지. 집이 너무 구질구질하고 칙칙해서 아서는 이곳이 자기 집처럼 느껴지지 않았어.

사방에 먼지가 가득 쌓여 있었고, 창문이 너무 더러워서 바깥이 잘 보이지 않았지. 창틀 곳곳엔 죽은 벌레들이 떨어져 있었고.

언제 무너져도 이상하지 않을 정도로 곳곳에서 삐걱거리는 소리도 났어.

아서는 잠을 이루지 못했어. 그는 아버지가 남긴 메시지가 무슨 뜻인지 궁금했어. '잊지 마시오.' 아서는 자기 가족에게 뭔가 좋지 않은 비밀이 있는 게 아닐까 궁금증이 일었어. 혹시 과거에 나쁜 짓이라도 한 게 아닐까?

어머니에게는 물어봐야 소용없다는 걸 알고 있었어. 나쁜 일을 했어도 절대 인정하지 않을 사람이었으니까. 자기는 아무 상관없는 일이라고 할 게 분명했지.

다음 날 아침, 아서는 다시 에이미 도릿과 마주쳤어. 에이미는 부끄러움이 많은 소녀였지만, 처음 봤을 때만큼 어려 보이진 않더군. 에에미의 녹갈색 눈은 늘 바닥만 쳐다봤어. 좀처럼 고개를 들지 않았지. 그리고 부끄러움이

너무 많아 늘 밥도 혼자서 먹었지.

아서는 에이미가 궁금해졌어. 저 사람은 어떤 사람일까? 어디에서 온 걸까? 아서는 에이미에 대해 알아보기로 마음먹었어.

마샬시의
방문객

어느 날 저녁 에이미 도릿이 클레넘 부인의
집을 나서자, 아서는 그의 뒤를 쫓아갔어. 조그
만 소녀는 사람들로 붐비는 거리를 빠져나갔고,
아서는 멀찌감치에서 그를 따라갔지.

마침내 에이미가 도착한 곳은 템스강 근처, 붉은 벽돌로 지은 오래된 건물이었어. 에이미는 맨 위에 창살이 있는 지저분한 나무 문을 두드렸어. 창살 뒤로 누군가 얼굴을 빼꼼 내밀더니, 에이미인 걸 확인하고는 문을 열어 주는 거야. 에이미는 그 안으로 쏙 들어갔지.

아서는 잠시 기다렸다가 문 앞으로 다가가 노크를 했어.

역시나 아까 그 사람이 창살 뒤로 얼굴을 내밀었지.

"여긴 뭐 하는 곳인가요?"

아서가 물었어.

"마샬시 감옥입니다."

그의 이름은 밥, 이 감옥의 교도관이었어.

"아무나 들어갈 수 있나요?"

"아무나 들어갈 수는 있죠. 하지만 나오는 건 마음대로 안 됩니다."

"여기에 도릿이라는 사람이 있나요?"

"아, 도릿 씨요? 그는 마샬시의 아버지죠. 도 릿 씨를 만나러 왔나요?"

아서가 고개를 끄덕이자 밥이 문을 열어 주었어. 두 사람은 작은 뜰을 지나고 좁은 계단을 올라, 그렇게 도릿 씨의 감옥 앞에 도착했어.

아서는 문간에 서서 에이미 도릿이 아버지에게 저녁을 차려 드리는 모습을 보았어. 클레넘 부인의 집에서 가져온 음식으로 말이야. 아서는 그제야 에이미가 혼자 밥을 먹는 이유를 깨달았지. 에이미는 식사를 하나도 하지 않았어. 그 음식들을 모조리 싸서 아버지한테 가져왔던 거야.

아서를 발견한 에이미의 두 뺨이 빨갛게 물들었어.

아서는 목을 가다듬고 말했어.

"도릿 씨, 만나 뵙게 되어 반갑습니다. 저는 아서 클레넘입니다. 에이미가 저희 어머니 일을 돌봐 주고 있어요."

도릿 씨는 얼굴을 붉히지 않았어. 아무렇지 않게 그를 반기며 의자를 내주었지. 그는 아서에게 감옥에 대해, 자기가 어쩌다 마샬시의 아버지가 되었는지에 대해 말해 주었어. 그는

종종 방문객들이 마샬시의 아버지에게 작은 '선물'도 챙겨 온다고 했어.

그가 말하는 '선물'은 바로 돈이었지.

아서가 무어라 대답을 하기도 전에 젊은 여인이 방으로 불쑥 들어왔어. 바로 도릿 씨의 큰딸, 패니 도릿이었단다.

패니는 겉모습만 봐도 무용수라는 게 티가 났어. 외모가 예쁠 뿐만 아니라 걸을 때도 머리를 곧게 들고 사뿐사뿐 움직였거든. 마치 구름 위에 떠 있는 것처럼 가벼운 몸짓이었지.

"에이미, 내 드레스 고쳐 놨어?"

패니가 에이미에게 물었어.

에이미는 고친 드레스를 내밀었어. 패니는 고맙다는 말도 없이 드레스를 건네받고는 곧바로 방을 나가 버리더군. 패니가 감옥 방의 문을 닫는 순간 시끄러운 벨 소리가 울렸어. 밤이 늦어서 감옥 문을 닫는다는 신호, 즉 방문객들은 이제 나가야 한다는 신호였지.

아서 클레넘은 얼른 동전을 꺼내 도릿 씨에게 내밀었어. 그걸 본 에이미의 얼굴은 더 빨개졌어. 자기 아빠가 돈을 구걸하는 모습이 너무 창피했거든. 하지만 아서는 그저 작별 인사를 하고 그곳을 떠났어.

아서가 뜰을 지나고 있는데 에이미가 그를 쫓아왔어.

"죄송해요. 아버지가 그런 식으로 돈을 요구하신 것, 제가 대신 사과할게요."

"아니에요, 도릿 양. 미안해할 사람은 바로 저예요. 여기까지 몰래 쫓아온 것을 용서해 주세요. 제가 여러분 가족의 삶에 비집고 들어갈 권리는 없으니까요."

두 사람은 그렇게 잠시 이야기를 나눴어. 에이미가 마샬시에서 어떻게 지내는지, 아서는 중국에서 어떻게 살았는지 대화했지. 클레넘 부인의 특이한 버릇 이야기가 나왔을 때는 함께 키득거리기도 했어.

두 사람은 대화에 푹 빠져서 벨 소리가 끝난 줄도 몰랐어.

이를 어떡해! 이제 정문은 닫혔고, 아서와 에이미는 감옥을 나갈 수 없게 되었어.

두 사람은 어쩔 수 없이 마샬시 감옥에서 하룻밤을 보내게 되었지.

팬크스 씨가
조사에 뛰어들다

아서는 감옥에서 밤을 보낸 적이 한 번도 없었어. 물론 아주 즐겁지는 않았지만 그렇다고 그렇게 끔찍하지도 않았어. 에이미 도릿과 더 많은 시간을 보낼 수 있었으니까. 그러면서 에이미와 가족들에 대해 궁금한 점이 더 많아졌지.

그는 자기 어머니가 에이미를 좋아하는 이유가 궁금했어. 어머니는 심술궂은 노인이었고, 아들인 자신을 포함한 다른 사람들에게 늘 불친절하고 무례했거든. 혹시 어머니가 도릿 양을 좋아하는 게 시계 상자 속 메시지와 관련이 있는 걸까?

아서는 꼭 알고 싶었어. 그래서 그는 다음 날 감옥을 나오자마자 팬크스라는 남자를 찾아갔지. 아서는 탐정인 척하기를 좋아하는 팬크스에게 도릿 가족에 대해 알아봐 달라고 부탁했어.

팬크스 씨는 키가 땅딸막한 사람이었어. 그는 늘 숨이 차는지 헥헥거리곤 했지. 뭘 하는지는 모르겠지만 항상 바빴어.

"내가 스스로를 뭐라고 부르는지 아나요, 클레넘 씨?"

팬크스 씨가 물었어.

"아니요."

"'점쟁이'라고 부릅니다. 미래를 볼 수 있어서가 아니에요. 사람들이 잃어버렸거나 존재하는지도 몰랐던 재산을 점쟁이같이 신기하게 찾아내기 때문이지요."

팬크스 씨가 도릿 가족에 대해 조사하는 동안, 아서는 에이미 도릿과 점점 더 가까워졌어. 둘은 서로의 가장 친한 친구가 되었지. 그는 다니엘 도이스라는 사람과도 만나게 되었어. 다니엘은 발명가이자 기술자였어.

다니엘은 아주 작은 공장을 갖고 있었어. 공장은 무척 좁았지만 다니엘의 아이디어만큼은 무척 창의적이고 획기적이었지. 다니엘이 최근 만든 발명품의 톱니, 바퀴, 핀 등의 기능을 설명하자 아서가 감탄하며 말했어.

"당신은 천재예요, 다니엘 도이스. 우리 함께 일하는 게 어때요? 당신이 아이디어를 내면 제가 돈을 댈게요."

다니엘은 고민도 하지 않고 곧바로 소리쳤어.

"물론이죠! 너무 좋습니다!"

그렇게 두 사람은 새로운 회사를 차리게 되었어. 이름은 도이스&클레넘.

그 순간만큼은 모든 일이 다 술술 풀릴 것
만 같았지.

아서가 사업을 하고 팬크스 씨가 '조사'를 하
는 동안, 에이미의 언니 패니 도릿은 언제나처
럼 남자들과 가벼운 연애를 했어.

수많은 사람들이 패니 도릿의 마음을 얻으려고 애를 썼지. 그중에는 에드먼드 스파클러라는 사람도 있었어. 그는 바보 같은 가문의 바보 같은 젊은이였단다.

에드먼드의 아버지 머들 씨는 매우 부유한 사람이었어. 사람들에게 자기 은행에 저축하라고 권유하여 재산을 모았지.

에드먼드의 어머니 머들 부인은 자부심이 대단했어. 부유한 남편에 아들까지 부유하니 상류층에도 발을 들일 수 있었지.

하지만 상류층에 들어가면 반드시 지켜야 할 규칙이 있었어.

그들이 사귈 수 있는 사람은 역시나 상류층
에 속한 사람들이어야 했단다. 상류층에 속하
지 않은 사람과는 친구가 될 수 없었어.

머들 부인은 아들인 에드먼드가 좋아하는
여자의 아버지에 대해 알게 되었어. 도릿 씨는
상류층과는 완전히 거리가 먼 사람이었지. 다
른 데도 아니고 마샬시에 갇혀 있는 죄수였으
니까! 머들 부인은 이 소식에 너무 충격을 받
아 쓰러질 뻔했어. 아들이 죄수의 딸과 결혼
을 한다는 건 있을 수 없는 일이었어.

머들 부인은 곧장 패니 도릿을 만나 보기로
했어. 정확히 말하면 자기가 사는 런던 저택에
찾아오라고 요구했지. 패니는 에이미에게 같이
가자고 했어. 머들 부인의 저택에 도착한 두 사
람은 거대한 문으로 걸어 들어갔어.

두 사람은 편안한 고동색 의자에 앉아서 기다리다가 침을 꿀꺽 삼켰어. 저기서 나이 든 부인이 성큼성큼 걸어오고 있었거든.

"패니 도릿, 쓸데없는 잡담으로 시간 낭비하고 싶지 않으니 본론만 말하겠어요. 앞으로 에드먼드와 만나지 마세요."

처음엔 충격을 받은 듯한 패니의 얼굴이 곧장 분노로 바뀌었어.

"알겠어요. 저 역시 그 사람과 아무런 관계도 맺고 싶지 않아요."

"그럼 서로 동의한 거죠?"

머들 부인이 이렇게 말하며 패니의 손에 무언가를 쥐여 주었단다.

패니와 에이미는 저택 밖으로 나왔어. 묵직한 문이 쿵 닫히자마자 에이미는 패니에게 머들 부인이 준 게 뭐냐고 물었지. 패니가 손을 펼치자 꽁꽁 말아 놓은 지폐가 나왔어.

　"언니, 그 돈 받으면 안 돼."

　에이미가 말했어.

　"어머, 바보 같은 동생아. 넌 자존심도 없니? 저 부인이 나를 모욕했으니 나도 그만큼의 대가는 받아야 하지 않겠어? 그리고 이게 바로 그 대가야."

　하지만 에이미의 생각은 달랐어. 이런 식으

로 돈을 받는 게 오히려 자존심을 버리는 행동 같았지. 아버지가 감옥 방문객들에게 '선물'을 받는 거랑 다를 바 없다고 생각했어.

무일푼에서 벼락부자로

머들 부인의 집에 다녀온 지 얼마 되지 않아, 도릿 가족은 놀라운 소식을 듣게 되었어. 그들이 겪고 있던 문제를 순식간에 해결해 줄 수 있을 만한 소식이었지.

아서에게 도릿 가족들의 조사를 부탁받았던 팬크스 씨가 대단한 발견을 한 거야. 그는 옛날에 도릿이라는 가문이 있었고, 그들이 도싯에 있는 저택에 살았었다는 걸 알아냈어. 하지만 그 저택의 주인은 세상을 뜨고 말았지.

사람들은 도릿 가문의 저택과 땅, 돈을 물려받을 사람이 아무도 남지 않은 줄 알았어. 그런데 알고 보니 윌리엄 도릿이 있었던 거야.

마샬시의 아버지가 부자가 된 거야!

그는 곧바로 빚을 갚았어. 그리고 마지막으로 작고 더러운 감방을 둘러보며 영영 마샬시 감옥을 떠나오게 되었지.

당연히 그의 가족들도 다 같이 부자가 되었어.

아름다운 새 모자와 드레스, 장갑을 낀 패니와 에이미는 아버지와 오빠와 함께 마차에 올라탔어. 그들이 탄 마차는 마샬시에서 아주 먼 곳, 런던에서 한참 떨어진 곳으로 달렸지.

아서 클레넘은 그들에게 손을 흔들며 작별인사를 했어. 그는 이들 가족이 감옥에서 탈출할 수 있게 도와준 게 참 뿌듯했어. 하지만

친한 친구, 작은 도릿, 에이미와 헤어지게 되어

많이 아쉽기도 했지.

베니스[*]의
신사

  도릿 씨는 20년 넘게 감옥에서만 갇혀 지냈
잖아. 그래서 넓게 펼쳐진 들판, 높이 솟은 건
물, 바깥세상의 눈부신 햇살을 보는 게 너무나
오랜만이었어.

  하지만 도릿 씨는 이제 신사가 되었지. 그는
도싯에 집도 생겼어. 그는 지켜야 할 지위가 생
겼고, 무엇보다 상류층에 속하게 되었단다.

*베니스: 이탈리아 북부의 항구 도시 베네치아의 영어 이름.

도릿 씨가 가장 먼저 한 일은 전 재산을 머들 씨의 은행에 넣는 일이었어. 모든 사람이 돈에 있어서는 머들 씨가 제일 똑똑하다고 말했

거든. 머들 씨가 돈을 안전하게 지켜 줄 거라고 했어. 은행에 돈을 더 오래 둘수록, 더 많은 돈을 벌게 될 거라고 했지.

아서 클레넘도 자기 재산을 머들 씨의 은행에 넣기로 결심했어. 다니엘 도이스와의 사업에 필요한 돈을 더 많이 벌고 싶었거든.

심지어 팬크스 씨도 머들 씨의 은행을 이용했어.

모두들 머들은 돈을 만들어 내는 마법사라고 생각했어. 사람들은 그들이 가진 돈만큼 머들 씨를 신뢰했지.

도릿 가족은 도싯에서의 생활이 즐거웠어. 하지만 그걸로는 부족했지. 상류층이 되었다는 것은 세계 그 어느 곳도 여행할 수 있다는 걸 의미했거든. 그래서 그들은 짐을 싸서 유럽 곳곳으로 여행을 떠났어. 프랑스를 지나 스위스의 산맥을 넘어 이탈리아까지 말이야.

마침내 그들은 베니스의 유명한 거리에 도
착했단다. 운하 위로 햇빛이 반짝이며 쏟아지
고, 건물 벽도 하얀색, 분홍색, 금색으로 은
은하게 빛이 났어.

에이미 도릿은 이런 곳이 처음이었어. 도로 대신 강이 있고 사람들이 마차 대신 배를 타고 다니는 곳 말이야. 에이미는 아서에게 보내는 편지에서 베니스를 자세히 설명했어. 그 편

지를 받은 아서도 기분이 좋았지.

　도릿 가족은 베니스의 대운하에 위치한 최
고급 저택 중 하나를 빌렸어. 그리고 최고급
음식도 먹었어. 또한 최고로 잘나가는 사람들
도 만났단다. 그들은 가장 유명한 그림을 보
고 연주회에도 갔어.

도릿 씨는 에이미와 패니를 위해 선생님도 고용했어. 제너럴 부인이라는 그 선생님은 두 딸에게 진짜 숙녀처럼 행동하는 법을 가르쳤지. 제너럴 부인은 따분한 목소리로 따분한 것들을 가르쳐 주었어.

제너럴 부인은 에이미와 패니에게 다그치듯 말했어.

"에이미, '아빠' 대신 '아버지'라고 하는 거예요. 패니, 눈알을 굴리지 말아요. 여러분은 숙녀랍니다."

패니 도릿은 상류층 사람이 되면 더 좋은 방향으로 생활이 바뀔 줄 알았어. 하지만 실제로는 오히려 삶이 더 지루해진 거야. 패니는 그림을 보러 가거나 연주회에 가는 것도 재미가 없었어. 때때로 패니는 극장에서 춤을 추던 시절을 그리워했어.

어느 날 오후, 패니가 지루해하며 창밖을 보고 있는데 누군가 문을 두드렸어. 놀랍게도 방으로 걸어 들어온 사람은 에드먼드 스파클러였어. 패니에게 돈을 주며 더 이상 아들을 만나지 말라고 했던 그 머들 부인의 아들 말이야.

그때 패니 도릿은 마샬시의 죄수이자 가난한 남자의 딸이었어. 하지만 지금은 매우 부유한 남자의 딸이 되어 있었지. 머들 씨의 은행에

아주 많은 돈을 넣어 둘 만큼 충분히 부유한
남자 말이야.

　머들 부인은 패니를 거부하지 않았어. 이제
패니도 상류층에 속하는 사람이 되었으니까.

　늦은 오후, 베니스의 저택 방에서 에드먼드
는 패니에게 청혼을 했어. 패니는 에드먼드를
딱히 사랑하지 않았지만 청혼을 받아들였어.

에이미 도릿은 이 상황이 마음에 들지 않았지. 자기가 보기에 에드먼드는 언니에게 어울리지 않았거든. 게다가 언니가 에드먼드를 좋아하지 않는다는 사실도 알고 있었으니 말이야. 하지만 패니는 아무렇지 않게 웃으며 말했어.

"어머, 에이미. 언젠가는 너도 이해하게 될 거야. 결혼은 사랑해서 하는 게 아니야. 돈을 보고 하는 거지."

도릿 씨도 두 사람의 결혼을 승낙했어. 그는 패니가 에드먼드와 결혼하는 게 마음에 드는 눈치였지. 도릿 가족이 상류층에 발을 들였다는 걸 온 세상에 알릴 기회라고 생각했거든.

터무니없이 화려하고 말도 안 되게 돈이 많이 든 결혼식을 통해 마침내 패니 도릿은 스파클러 부인이 되었어.

스파클러 부부는 여행을 끝내고 런던으로 돌아왔단다. 그들은 머들 부인이 베니스에 머무르는 동안 어머니의 저택에서 살 예정이었어.

도릿 씨와 에이미도 베니스에서 지내며 도시의 분위기와 빛나는 햇빛을 잔뜩 즐겼어. 한편 에이미의 오빠는 시실리*를 거쳐 나폴리로 가 여행하면서 새롭게 얻은 부를 알차게 누렸지.

*시실리: 이탈리아반도 서남쪽 끝에 있는 섬 시칠리아의 영어 이름.

도릿 씨의
마지막

도릿 씨는 너무나 빠르게 늙어 갔어. 마치 나이 든 거북이처럼 느릿느릿 움직였지.

기억력도 예전 같지 않았어. 가끔은 자기가 어디에 있는지도 기억을 못 하더군. 그는 주위를 둘러보면서도 베니스의 반짝이는 운하가 눈에 들어오지 않았어. 그의 눈에는 아직도 마샬시 감옥의 붉은 벽돌이 보이는 것 같았어. 하인에게도 교도관을 대하듯 말을 하곤 했지.

에이미는 아버지의 기억력을 되찾아 주고 싶었어. 하지만 아버지의 상태는 점점 더 심해지는 것 같았지. 마치 손가락 사이로 모래가 빠져나가듯 아버지의 기억도 사라져 버린 거야.

성대한 음악회와 호화로운 무도회를 오랫동안 즐겼던 머들 부인은 드디어 베니스를 떠나

기로 마음먹었어. 그리고 베니스에서 보낸 시
간을 기념하기 위해 마지막으로 거창한 파티
를 열었어.

물론 도릿 씨와 에이미도 초대를 받았지.

두 사람은 머들 부인의 응접실로 향하는 거
대한 대리석 계단 밑에 멈춰 섰단다.

"에이미, 밥을 좀 불러와라. 그 사람이 계단
오르는 걸 도와줄 거야."

에이미는 한숨을 쉬었어. 밥은 마샬시 감옥
의 교도관이었거든.

에이미는 아버지의 상태가 점점 더 나빠지
고 있음을 깨달았어.

도릿 씨는 에이미의 부축을 받아 아주 천천
히 대리석 계단을 올라갔지.

계단 위에 도착한 도릿 씨는 계단 아래에 있
는 손님들에게 말을 걸었어. 마치 마샬시에 온
손님들을 대하듯 그들을 맞아 주었지.
　늙은 도릿 씨를 바라보는 그들의 눈빛에는
놀라움과 혐오가 뒤섞여 있었어.

도릿 씨는 자기가 마샬시의 아버지가 된 사연에 대해 계속 떠들어댔어. 그리고 '선물'을 주면 뭐든 즐겁게 받겠다는 이야기까지 했지. 손님들은 몸서리를 치며 시선을 피했지만, 에이미는 그런 아버지가 부끄럽지 않았어. 에이미는 아버지를 부축한 채 다시 계단을 내려갔단다.

두 사람은 대운하에 있는 저택으로 돌아왔어. 에이미는 아버지에게 따뜻한 차를 만들어 주고 잠자리에 들 때까지 도왔지.

에이미는 잠이 들었다 깼다 하는 아버지를 바라보며 꼴딱 밤을 새웠어.

에이미는 아버지의 주름진 손을 잡고 마샬 시에서 함께 지내던 시절의 이야기를 차분하게 들려주었어. 마침내 도릿 씨는 딸의 이야기를 들으며 영원히 잠이 들었단다.

곰팡이 낀 마샬시로
돌아오다

한편 런던에서는 클레넘 부인에게 이상한 일이 벌어지고 있었어. 집이 평소보다 더 삐걱거리기 시작한 거야.

지붕에 있던 타일이 비처럼 쏟아지기 시작했어. 굴뚝은 바람에 휘청거리다가 결국 바닥으로 떨어져 어마어마한 먼지구름을 피웠지. 더러운 창문은 산산조각이 나고, 2층 바닥은 기울어지고 마구 흔들렸어.

결국 저택은 카드로 쌓은 집처럼 와르르 무너지고 말았어.

안타깝게도 클레넘 부인이 집 안에 있는 상태에서 그런 일이 벌어졌단다.

　아서는 어머니에게서 따뜻한 사랑을 받지는
못했지만, 그래도 어머니의 죽음에 가슴 아파
했어. 하지만 무너진 집을 보고는 딱히 가슴
아파하지 않았지.

　그 사고로 유일하게 건진 건 편지로 가득 찬
작은 나무 상자였어. 그중에는 어머니인 클레
넘 부인이 쓴 것도 있었어.

사랑하는 아서에게.

네가 이 편지를 읽을 때 이미 난 이 세상에 없을 거야. 그리고 그동안 내가 숨겨왔던 비밀도 알게 되겠지. 난 사실 너의 친엄마가 아니란다. 너희 아빠는 결혼하기 전 사랑하던 가수가 있었어. 둘 사이에서 태어난 아이가 바로 너란다. 너희 아버지 쪽 가족들이 허락하지 않았기에 아버지는 어쩔 수 없이 네 친엄마를 떠나 대신 나와 결혼했지.

너의 친엄마는 너와 헤어진 후 곧 세상을 떠났어. 아버지 쪽 가족들은 그게 어느 정도는 자신들의 잘못이라고 인정했단다. 그래서 그 죄를 갚는 마음으로, 그들은 모든 재산을 너희 친엄마를 보살폈던 사람에게 남겼어. 바로 그의 후원자 프레데릭 도릿 씨란다.

그런데 내가 이 유언장과 재산을 숨겨 놓았어. 나 자신, 그리고 너를 위해서.

정말 미안하다.

아서는 털썩 무릎을 꿇었어. 도릿 가족은 평생 부유하게 살 수 있었어. 에이미도 마샬시 감옥 같은 곳에서 자라지 않을 수 있었어. 그런데 그 기회를 잃어버렸던 거야.

불행하게도 추한 비밀을 숨기고 있는 건 클레넘 부인만이 아니었어. 몇 년 후, 머들 씨가 자기 은행에 돈을 맡긴 모든 사람을 속인 게 드러난 거야. 그는 사람들의 돈을 잘 지키지도 않았고, 불어나게 돕지도 않았어. 오히려 자기가 펑펑 쓰고 있었지.

그리고 결국엔 더 이상 속일 사람이 없었어.

머들 씨는 감옥에 들어가 벌을 받는 대신 그대로 사라져 버렸어. 하룻밤 사이에 사라진 그를 그 이후로 아무도 보지 못했지.

그의 은행에 돈을 맡겼던 사람들은 이제 빈털터리가 되었어.

도릿 가족 역시 모든 재산을 잃게 되었단다. 에이미와 패니는 가진 게 아무것도 없었어.

팬크스 씨 역시 마찬가지였지.

아서 클레넘은 사업에 쓸 돈을 몽땅 잃었어.

아서는 자신의 사업 파트너, 다니엘 도이스를 실망시킨 게 너무나 속상했어. 하지만 다니엘은 친절하고 너그러운 사람이었지. 그는 머들 씨를 믿었던 아서를 탓하지 않았어. 하지만 법까지 그를 용서해 주진 않더군. 아서는 빚 때문에 마샬시 감옥의 악취 나는 감방에 갇히게 되었어.

도릿 씨가 20년 넘게 갇혀 지냈던 바로 그 방에 말이야.

곰팡이 가득한 추운 감옥에서 몇 주를 지낸 아서는 몸이 쇠약해졌어. 그는 몇 날 며칠을 딱딱하고 좁은 침대에 누워 지내며 계속 기침을 하고 땀을 흘리고 또 잠들다 깨기를 반복했어.

어느 날 아침 아서는 온몸이 아파서 멍한 상
태로 잠에서 깨어났어. 그런데 작은 감옥 안에
누군가 앉아 있는 게 보였지.

에이미 도릿이었어!

에이미는 물컵을 그의 입에 갖다 대 주며 빙그레 미소를 지었어.

"우리가 마샬시에 있을 때 당신이 도와줬잖아요. 이제는 제가 당신을 도와줄 차례예요."

아서는 에이미를 따라 웃으면서도 마음 한편이 불편했어. 어머니의 편지가 생각났거든. 그는 결국 비밀을 털어놓기로 했지.

아서는 침대 밑에서 구깃구깃한 편지를 꺼내 에이미에게 보여 주었어.

에이미가 편지를 다 읽자, 아서가 물었어.

"우리를 용서해 줄 수 있나요, 에이미?"

"우리라고요?"

"클레넘 가족을요. 당신의 아버지와 가족들
이 여기 마샬시에 계속 갇혀 지낸 건 우리 탓
이니까요."

"아니요, 그렇지 않아요."

에이미의 눈에 눈물이 차올랐어. 에이미는 소매로 눈가를 닦았지. 그리고 자리에서 일어나 구석에 있는 조그만 불 앞으로 걸어갔어. 그리고는 편지를 불 속에 집어넣었어.

"어차피 저도 이제 빈털터리예요. 당신처럼 우리 가족도 머들 씨의 은행에 전 재산을 넣었거든요. 하지만 아서, 우리에겐 서로가 있잖아요."

아서는 그제야 자신이 에이미를 사랑했음을, 그리고 에이미도 줄곧 자신을 사랑했음을 깨달았어.

다행히 다니엘 도이스에겐 아직 돈이 조금 남아 있었어. 그는 아서 대신 빚을 갚고 그를 감옥에서 꺼내 주었어. 그리고 계속해서 같이 사업을 하지 않겠느냐고 물었지. 그들은 큰 부자가 되진 못할 것 같았지만, 행복하게는 살 수 있을 것 같았어.

아서가 감옥에서 풀려나고 몇 주 후, 그들에겐 더 행복한 일이 남아 있었단다. 바로 아서와 에이미가 결혼식을 올렸거든. 이제 그는 작은 도릿에게 작별 인사를 하지 않아도 돼. 둘은 영원히 함께할 테니까.

찰스 디킨스

1812년 영국 포츠머스에서 태어났어요. 찰스 디킨스는 소설 속 등장인물들처럼 가난했고 힘든 어린 시절을 보냈어요. 하지만 어른이 된 그는 자신이 쓴 책으로 전 세계에 알려졌고, 그 시대 가장 중요한 작가 중 한 명으로 기억되고 있답니다.

알렉산드로 발드리히 그림

이탈리아 피렌체에서 무대 디자인을 공부해 학사 학위를 받았습니다. 어린 시절부터 그림 그리기를 좋아해 다양한 책의 만화와 삽화를 따라 그렸어요. 그 덕분에 여러 가지 스타일의 그림을 익힐 수 있었고 새로운 도전도 즐기게 되었지요. 만화가, 삽화가, 콘셉트 아티스트로 일하고 있고, 2011년 스페인 최고의 만화책 상을 받았습니다.

윤영 옮김

서울대학교 미학과를 졸업하고 같은 대학원에서 고고미술사학과를 수료했습니다. 현재는 번역 에이전시 엔터스코리아에서 번역가로 활동 중입니다. 옮긴 책으로는 〈암호 클럽〉 시리즈, 〈복면공주〉 시리즈 등이 있습니다.

작은 도릿

초판 1쇄 발행 2023년 6월 27일

글 찰스 디킨스 | 그림 알레산드로 발드리히 | 옮김 윤영

ISBN 979-11-6581-425-0 (74840)
ISBN 979-11-6581-418-2 (세트)

＊잘못 만들어진 책은 구입하신 곳에서 바꾸어 드립니다.

발행처 주식회사 스푼북 | **발행인** 박상희 | **총괄** 김남원
편집 김선영 · 박선정 · 김선혜 · 권새미 | **디자인** 조혜진 · 김광휘 | **마케팅** 손준연 · 이성호 · 구혜지
출판신고 2016년 11월 15일 제2017-000267호
주소 (03993) 서울시 마포구 월드컵북로 6길 88-7 ky21빌딩 2층
전화 02-6357-0050(편집) 02-6357-0051(마케팅)
팩스 02-6357-0052 | 전자우편 book@spoonbook.co.kr

제품명 작은 도릿
제조자명 주식회사 스푼북 | **제조국명** 대한민국 | **전화번호** 02-6357-0050
주소 (03993) 서울시 마포구 월드컵북로6길 88-7 ky21빌딩 2층
제조년월 2023년 6월 27일 | **사용연령** 8세 이상
※ KC마크는 이 제품이 공통안전기준에 적합하였음을 의미합니다.

⚠ 주 의

아이들이 모서리에 다치지
않게 주의하세요.